el invierno

Barron's Educational Series, Inc. tiene los derechos exclusivos para
distribuir esta edición en los Estados Unidos, Canadá, México, Puerto Rico,
América Central y Sur, Australia y Gran Bretaña.

Barron's Educational Series, Inc.
250 Wireless Boulevard
Hauppauge, New York 11788

Primera edición, marzo 1986
Publicado en acuerdo con Parramón, Barcelona, España

© Parramón Ediciones, S.A.
Gran Via de les Corts Catalanes, 322-324
08004 Barcelona

Número Internacional del libro 0-8120-3645-X

Impreso en España

56   996   98

Carme Solé Vendrell
Josep Mª Parramón

el invierno

BARRON'S

¡Qué frío!

¡Hace frío!

¡hace mucho frío!

Es tiempo de nieve

Tiempo de jugar en la nieve

Tiempo de esquiar

Tiempo de podar

Tiempo para estar junto al fuego

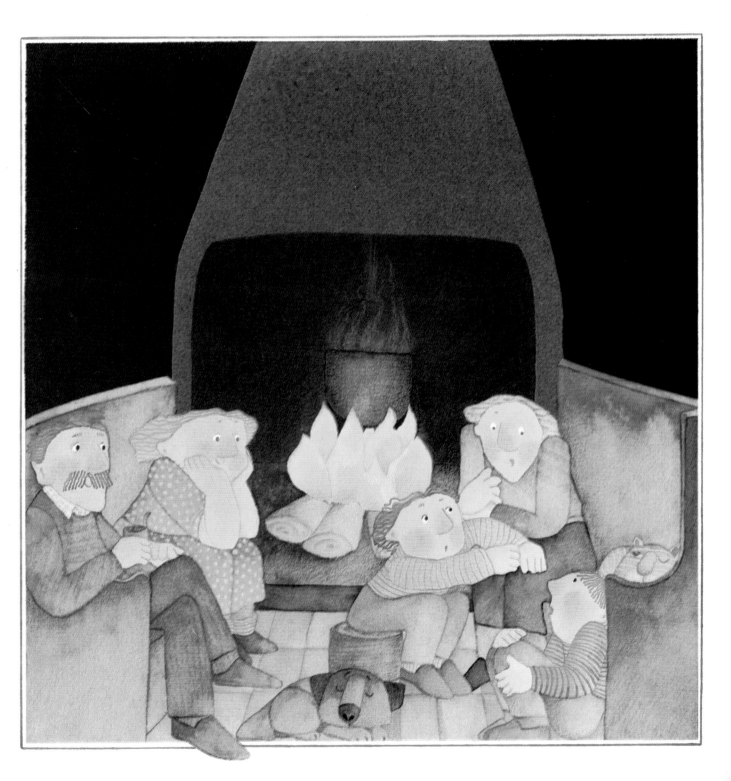

En este tiempo llega Navidad

Y las noches se llenan de luz

Llega también el Año Nuevo

Y las casas se llenan de juguetes

¡Es el invierno!

EL INVIERNO

Parece que la tierra ha muerto en el campo.
Todo es gris, la nieve toda cubre la tierra.
Pero bajo la nieve la tierra sigue viviendo,
viven las raíces y las simientes y viven
los animales que duermen el sueño invernal.

¡Hace frío!

Hace frío, ¡mucho frío! Todo el mundo habla del frío que hace. Las gentes van de prisa por las calles para llegar pronto a casa y calentarse en el hogar o cerca de la estufa. Abrigos, jerseis, bufandas y, en las camas, edredones y mantas. ¡Hace frío, es el Invierno!

Y hay heladas y hay nevadas

En Invierno es corriente que el termómetro marque uno o más grados bajo cero. Sucede entonces que el agua de los charcos y del rocío de la madrugada se hiela. Cuando las heladas persisten son malas para la agricultura. Cuando llueve y el termómetro se mantiene por debajo de cero grados, el agua que se desprende de las nubes se congela y llega a la tierra transformada en copos blancos que, al cristalizarse, toman formas semejantes a pequeñas estrellas.

¿Para qué sirve la nieve?

¡Oh, la nieve! En primer lugar es un motivo de gran alegría para mayores y pequeños. La nieve cambia el paisaje, lo embellece, lo ilumina, invita a jugar, a tirarse bolas sin hacerse daño, a hacer muñecos o grandes figuras. La nieve es la base del deporte del esquí. En Europa hay miles de aficionados al esquí. El esquí es un deporte olímpico. Pero, además, la nieve suele ser beneficiosa para la agricultura: por su forma esponjosa es un aislante del frío, abriga la tierra y las plantas contra la helada; cuando se derrite reblandece la tierra y la alimenta más y mejor que la lluvia. La nieve, en fin, al producirse los deshielos de finales de Invierno, engrosa los nacimientos de ríos y fuentes proporcionando el agua necesaria para el resurgir de la Naturaleza en Primavera.

La hibernación, o animales que duermen todo el invierno

Los animales que viven en países más bien templados, como el centro y el sur de Europa, no lo pasan bien en Invierno; no resisten las inclemencias del Invierno. Y a no ser que puedan emigrar como las golondrinas, han de recurrir a la hibernación. Ésta consiste en quedarse todo el invierno dentro de su madriguera amodorrados, en un sueño aletargado que les permite reducir al mínimo la alimentación así como toda función orgánica, relación entre macho y hembra, etc., resistiendo así los rigores del frío y evitando los problemas de la emigración, que para algunos de estos animales sería imposible. Ciertos mamíferos como los erizos, lirones, marmotas, etc., hibernan en Invierno. El oso es un típico animal hibernador.

La poda de Invierno

Podar es cortar las ramas que forman la copa de los árboles, o las ramas superiores de las plantas, para facilitar el desarrollo de los mismos. Existe la poda de Invierno, o poda en seco, y la poda de Verano, o poda en verde. La poda es muy conveniente hacerla a los árboles frutales, de alineación y forestales.

Grandes días de fiesta en Invierno

Navidad, Año Nuevo y Fiesta de los Reyes Magos, son tres grandes fiestas con las que se inicia el Invierno. Son días de paz y de amor entre los hombres de buena voluntad. Cierran los colegios, se iluminan las calles y las tiendas... ¡Y hace mucho frío!, pero todo el mundo sonríe mientras saluda con un alegre ¡Felices fiestas!

El Invierno empieza el día 21 de Diciembre y termina el día 21 de Marzo.